진정주

경기도 안산에 위치한 진정주 약국과 인터넷 쇼핑몰 "진약사몰"을 경영하는 현직 약사이자, 남편 박찬선 목사와 함께 순복음안디옥교회를 개척하여 한결같이 섬기고 있는 사모다. 30년 이상 하나님 앞에서 떼쓰고, 실수하고, 책망 받으며 배운 생생한 기도를 소재로 유튜브 〈진약사의 기도학교〉를 운영하고 있다. 저자는 교회 사역과 일을 병행하기에 우리의 현실과 밀착된 기도를 이야기한다.

중앙대학교 약학대학을 졸업하고, 국민 건강과 사회에 공헌한 공로를 인정받아 중앙대학교 명예박사 학위를 받기도 하였다. 유튜브 채널로 〈진약사톡〉(구독자 38.5만 명)과 〈진약사의 기도학교〉(구독자 9.5만 명)가 있으며 저서로《진약사의 기도학교》와《내 몸이 웃는다》가 있다.

진약사의 기도학교

design 권기용

기적을 부르는 암송 1200 | **3권**

기적을 부르는 암송 1200 | 생명

지은이 | 진정주
초판 발행 | 2025. 10. 27.
8쇄 발행 | 2026. 1. 12.
등록번호 | 제1988-000080호
등록된 곳 | 서울특별시 용산구 서빙고로65길 38
발행처 | 사단법인 두란노서원
영업부 | 2078-3333 FAX | 080-749-3705
출판부 | 2078-3331

ISBN 978-89-531-5179-6 04230
978-89-531-5180-2 04230 (세트)

독자의 의견을 기다립니다.
tpress@duranno.com http://www.duranno.com

두란노서원은 바울 사도가 3차 전도여행 때 에베소에서 성령 받은 제자들을 따로 세워 하나님의 말씀으로 양육하던 장소입니다. 사도행전 19장 8-20절의 정신에 따라 첫째 목회자를 돕는 사역과 평신도를 훈련시키는 사역, 둘째 세계선교(TIM)와 문서선교(단행본·잡지) 사역, 셋째 예수문화 및 경배와 찬양 사역, 그리고 가정·상담 사역 등을 감당하고 있습니다. 1980년 12월 22일에 창립된 두란노서원은 주님 오실 때까지 이 사역들을 계속할 것입니다.

3권

기암송 1200

생명

진정주

두란노

★ CONTENTS

이사야 ··· 말라기

프롤로그

이 책 《기암송 1200》은 유튜브 〈진약사의 기도학교〉 교재로 발간되었습니다.

기도는 하나님의 위대한 발명품입니다. 위대하신 하나님께서 인생의 길을 잃은 우리를 불쌍히 여기사 당신의 보좌 앞으로 나아가도록 이끄신 것이 곧 기도입니다. 그리고 이 기도는 말씀을 통해 온전해질 수 있습니다.

기도학교 강의를 이어가면서 저는 늘 말씀에 대한 갈급함을 느꼈습니다. 기도를 계속 하다보면 힘이 빠지고 표류하는 순간들이 찾아오게 마련입니다. 그럴 때 말씀은 우리를 새롭게 하며, 더 깊은 차원의 기도로 이끌어 줍니다. 살아 계신 성령께서 말씀을 통해 도우시기 때문입니다. 때로는 말씀을 소리 내어 읽는 것만으로도 기도가 되는 비밀이 있기에 말씀은 기도의 연료이자 지표입니다.

이 책은 기존의 암송 교재들과는 다른 독특한 특징이 있습니다. 먼저 마태복음부터 신약성경을 순서대로, 그리고 창세기부터 말라기까지 구약성경도 순서대로

엮었습니다. 또 의미상 하나로 묶어야 할 구절들은 한 순번에 함께 배치했습니다. 그러므로 성경을 공부하거나 통독할 때도 매우 유용한 교재로 활용할 수 있습니다.

예를 들어, 로마서를 읽고자 할 때 이 책의 요절을 먼저 여러 번 읽고 익힌 다음, 로마서 본문을 정독해 보십시오. 이전에는 알지 못했던 구절구절의 깊은 의미가 살아나고, 레마의 말씀으로 마음에 새겨질 것입니다.

또 이 책은 수십 년간 실제 기도생활 속에서 터득한 저의 기도 실전을 바탕으로 구성했습니다. 어떤 학술적인 강의보다 현실과 간증이 녹아 있는 책이니 여러분의 삶에도 기적이 일어나리라 믿습니다.

말씀 암송은 기도자의 생활입니다. 이 책을 세 권으로 나눈 것도 휴대의 편의를 고려한 것입니다. 모쪼록 이 교재가 여러분의 영성 훈련에 큰 도움이 되기를 바랍니다.

2025. 10. 진정주

잠언—아가

DAY . .

암송 체크

잠언

817 잠언 1:1 ○○○○○

다윗의 아들 이스라엘 왕 솔로몬의 잠언이라

818 잠언 1:5 ○○○○○

지혜 있는 자는 듣고 학식이 더할 것이요 명철한 자는 지략을 얻을 것이라

819 잠언 1:7 ○○○○○

여호와를 경외하는 것이 지식의 근본이거늘 미련한 자는 지혜와 훈계를 멸시하느니라

레마의 말씀

DAY . .

암송 체크

820 잠언 1:33 ○○○○○

오직 내 말을 듣는 자는 평안히 살며 재앙의 두려움이 없이 안전하리라

821 잠언 2:4-5 ○○○○○

은을 구하는 것같이 그것을 구하며 감추어진 보배를 찾는 것같이 그것을 찾으면

여호와 경외하기를 깨달으며 하나님을 알게 되리니

822 잠언 3:3 ○○○○○

인자와 진리가 네게서 떠나지 말게 하고 그것을 네 목에 매며 네 마음 판에 새기라

레마의 말씀

DAY . . 암송 체크

823 잠언 3:4 ○○○○○

그리하면 네가 하나님과 사람 앞에서 은총과 귀중히 여김을 받으리라

824 잠언 3:5 ○○○○○

너는 마음을 다하여 여호와를 신뢰하고 네 명철을 의지하지 말라

825 잠언 3:6 ○○○○○

너는 범사에 그를 인정하라 그리하면 네 길을 지도하시리라

레마의 말씀

826 잠언 3:9-10 ○○○○○

네 재물과 네 소산물의 처음 익은 열매로 여호와를 공경하라
그리하면 네 창고가 가득히 차고 네 포도즙 틀에 새 포도즙이 넘치리라

827 잠언 3:14 ○○○○○

이는 지혜를 얻는 것이 은을 얻는 것보다 낫고 그 이익이 정금보다 나음이니라

레마의 말씀

DAY . . 암송 체크

828 잠언 3:15-17 ○○○○○

지혜는 진주보다 귀하니 네가 사모하는 모든 것으로도 이에 비교할 수 없도다

그의 오른손에는 장수가 있고 그의 왼손에는 부귀가 있나니

그 길은 즐거운 길이요 그의 지름길은 다 평강이니라

829 잠언 4:11 ○○○○○

내가 지혜로운 길을 네게 가르쳤으며 정직한 길로 너를 인도하였은즉

레마의 말씀

830 잠언 4:12 ○○○○○

다닐 때에 네 걸음이 곤고하지 아니하겠고 달려 갈 때에 실족하지 아니하리라

831 잠언 4:18 ○○○○○

의인의 길은 돋는 햇살 같아서 크게 빛나 한낮의 광명에 이르거니와

832 잠언 4:19 ○○○○○

악인의 길은 어둠 같아서 그가 걸려 넘어져도 그것이 무엇인지 깨닫지 못하느니라

레마의 말씀

DAY . . 암송 체크

833 잠언 4:23 ○○○○○

모든 지킬 만한 것 중에 더욱 네 마음을 지키라 생명의 근원이 이에서 남이니라

834 잠언 5:21 ○○○○○

대저 사람의 길은 여호와의 눈 앞에 있나니 그가 그 사람의 모든 길을 평탄하게 하시느니라

835 잠언 6:9 ○○○○○

게으른 자여 네가 어느 때까지 누워 있겠느냐 네가 어느 때에 잠이 깨어 일어나겠느냐

레마의 말씀

DAY . .

암송 체크

836 잠언 6:10-11

○○○○○

좀 더 자자, 좀 더 졸자, 손을 모으고 좀더 누워 있자 하면

네 빈궁이 강도같이 오며 네 곤핍이 군사같이 이르리라

837 잠언 7:2-3

○○○○○

내 계명을 지켜 살며 내 법을 네 눈동자처럼 지키라

이것을 네 손가락에 매며 이것을 네 마음 판에 새기라

레마의 말씀

838 잠언 8:10 ○○○○○

너희가 은을 받지 말고 나의 훈계를 받으며 정금보다 지식을 얻으라

839 잠언 8:11 ○○○○○

대저 지혜는 진주보다 나으므로 원하는 모든 것을 이에 비교할 수 없음이니라

840 잠언 8:17 ○○○○○

나를 사랑하는 자들이 나의 사랑을 입으며 나를 간절히 찾는 자가 나를 만날 것이니라

레마의 말씀

DAY . .

암송 체크

841 잠언 8:20-21 ○○○○○

나는 정의로운 길로 행하며 공의로운 길 가운데로 다니나니
이는 나를 사랑하는 자가 재물을 얻어서 그 곳간에 채우게 하려 함이니라

842 잠언 8:34 ○○○○○

누구든지 내게 들으며 날마다 내 문 곁에서 기다리며 문설주 옆에서 기다리는 자는 복이 있나니

843 잠언 8:35 ○○○○○

대저 나를 얻는 자는 생명을 얻고 여호와께 은총을 얻을 것임이니라

레마의 말씀

DAY . . 암송 체크

844 잠언 9:10 ○○○○○

여호와를 경외하는 것이 지혜의 근본이요 거룩하신 자를 아는 것이 명철이니라

845 잠언 10:2 ○○○○○

불의의 재물은 무익하여도 공의는 죽음에서 건지느니라

846 잠언 10:4 ○○○○○

손을 게으르게 놀리는 자는 가난하게 되고 손이 부지런한 자는 부하게 되느니라

레마의 말씀

DAY . .　　암송 체크

847　잠언 10:12　○○○○○

미움은 다툼을 일으켜도 사랑은 모든 허물을 가리느니라

848　잠언 10:15　○○○○○

부자의 재물은 그의 견고한 성이요 가난한 자의 궁핍은 그의 멸망이니라

849　잠언 10:19　○○○○○

말이 많으면 허물을 면하기 어려우나 그 입술을 제어하는 자는 지혜가 있느니라

레마의 말씀

DAY . .

암송 체크

850 잠언 10:22 ○○○○○

여호와께서 주시는 복은 사람을 부하게 하고 근심을 겸하여 주지 아니하시느니라

851 잠언 10:26 ○○○○○

게으른 자는 그 부리는 사람에게 마치 이에 식초 같고 눈에 연기 같으니라

852 잠언 11:2 ○○○○○

교만이 오면 욕도 오거니와 겸손한 자에게는 지혜가 있느니라

레마의 말씀

DAY . .

암송 체크

853 잠언 11:13 ○○○○○

두루 다니며 한담하는 자는 남의 비밀을 누설하나 마음이 신실한 자는 그런 것을 숨기느니라

854 잠언 11:16 ○○○○○

유덕한 여자는 존영을 얻고 근면한 남자는 재물을 얻느니라

855 잠언 11:21 ○○○○○

악인은 피차 손을 잡을지라도 벌을 면하지 못할 것이나 의인의 자손은 구원을 얻으리라

레마의 말씀

856 잠언 11:24 ○○○○○

흩어 구제하여도 더욱 부하게 되는 일이 있나니 과도히 아껴도 가난하게 될 뿐이니라

857 잠언 11:25 ○○○○○

구제를 좋아하는 자는 풍족하여질 것이요 남을 윤택하게 하는 자는 자기도 윤택하여지리라

858 잠언 11:30 ○○○○○

의인의 열매는 생명나무라 지혜로운 자는 사람을 얻느니라

레마의 말씀

859 잠언 12:1 ○○○○○

훈계를 좋아하는 자는 지식을 좋아하거니와 징계를 싫어하는 자는 짐승과 같으니라

860 잠언 12:4 ○○○○○

어진 여인은 그 지아비의 면류관이나 욕을 끼치는 여인은 그 지아비의 뼈가 썩음 같게 하느니라

861 잠언 12:9 ○○○○○

비천히 여김을 받을지라도 종을 부리는 자는 스스로 높은 체하고도 음식이 핍절한 자보다 나으니라

레마의 말씀

DAY . . 암송 체크

862 잠언 12:15 ○○○○○

미련한 자는 자기 행위를 바른 줄로 여기나 지혜로운 자는 권고를 듣느니라

863 잠언 12:18 ○○○○○

칼로 찌름같이 함부로 말하는 자가 있거니와 지혜로운 자의 혀는 양약과 같으니라

864 잠언 12:23 ○○○○○

슬기로운 자는 지식을 감추어도 미련한 자의 마음은 미련한 것을 전파하느니라

레마의 말씀

865 잠언 12:27 ○○○○○

게으른 자는 그 잡을 것도 사냥하지 아니하나니 사람의 부귀는 부지런한 것이니라

866 잠언 13:7 ○○○○○

스스로 부한 체하여도 아무것도 없는 자가 있고 스스로 가난한 체하여도 재물이 많은 자가 있느니라

867 잠언 13:11 ○○○○○

망령되이 얻은 재물은 줄어가고 손으로 모은 것은 늘어가느니라

레마의 말씀

DAY . .

암송 체크

868 잠언 13:22 ○○○○○

선인은 그 산업을 자자손손에게 끼쳐도 죄인의 재물은 의인을 위하여 쌓이느니라

869 잠언 13:24 ○○○○○

매를 아끼는 자는 그의 자식을 미워함이라 자식을 사랑하는 자는 근실히 징계하느니라

870 잠언 14:1 ○○○○○

지혜로운 여인은 자기 집을 세우되 미련한 여인은 자기 손으로 그것을 허느니라

레마의 말씀

DAY . .

암송 체크

871 잠언 14:4

○○○○○

소가 없으면 구유는 깨끗하려니와 소의 힘으로 얻는 것이 많으니라

872 잠언 14:10

○○○○○

마음의 고통은 자기가 알고 마음의 즐거움은 타인이 참여하지 못하느니라

873 잠언 14:12

○○○○○

어떤 길은 사람이 보기에 바르나 필경은 사망의 길이니라

레마의 말씀

874 잠언 14:20 ○○○○○

가난한 자는 이웃에게도 미움을 받게 되나 부요한 자는 친구가 많으니라

875 잠언 14:21 ○○○○○

이웃을 업신여기는 자는 죄를 범하는 자요 빈곤한 자를 불쌍히 여기는 자는 복이 있는 자니라

876 잠언 14:23 ○○○○○

모든 수고에는 이익이 있어도 입술의 말은 궁핍을 이룰 뿐이니라

레마의 말씀

DAY . . 암송 체크

877 잠언 14:24 ○○○○○

지혜로운 자의 재물은 그의 면류관이요 미련한 자의 소유는 다만 미련한 것이니라

878 잠언 14:26 ○○○○○

여호와를 경외하는 자에게는 견고한 의뢰가 있나니 그 자녀들에게 피난처가 있으리라

879 잠언 14:29 ○○○○○

노하기를 더디 하는 자는 크게 명철하여도 마음이 조급한 자는 어리석음을 나타내느니라

레마의 말씀

DAY . .

암송 체크

880 잠언 14:31 ○○○○○

가난한 사람을 학대하는 자는 그를 지으신 이를 멸시하는 자요 궁핍한 사람을 불쌍히 여기는 자는 주를 공경하는 자니라

881 잠언 14:32 ○○○○○

악인은 그의 환난에 엎드러져도 의인은 그의 죽음에도 소망이 있느니라

882 잠언 15:1 ○○○○○

유순한 대답은 분노를 쉬게 하여도 과격한 말은 노를 격동하느니라

레마의 말씀

DAY . . 　암송 체크

883 잠언 15:3 ○○○○○

여호와의 눈은 어디서든지 악인과 선인을 감찰하시느니라

884 잠언 15:8 ○○○○○

악인의 제사는 여호와께서 미워하셔도 정직한 자의 기도는 그가 기뻐하시느니라

885 잠언 15:13 ○○○○○

마음의 즐거움은 얼굴을 빛나게 하여도 마음의 근심은 심령을 상하게 하느니라

레마의 말씀

DAY . .

암송 체크

886 잠언 15:18 ○○○○○

분을 쉽게 내는 자는 다툼을 일으켜도 노하기를 더디 하는 자는 시비를 그치게 하느니라

887 잠언 15:22 ○○○○○

의논이 없으면 경영이 무너지고 지략이 많으면 경영이 성립하느니라

888 잠언 15:23 ○○○○○

사람은 그 입의 대답으로 말미암아 기쁨을 얻나니 때에 맞는 말이 얼마나 아름다운고

레마의 말씀

889 잠언 15:28 ○○○○○

의인의 마음은 대답할 말을 깊이 생각하여도 악인의 입은 악을 쏟느니라

890 잠언 15:30 ○○○○○

눈이 밝은 것은 마음을 기쁘게 하고 좋은 기별은 뼈를 윤택하게 하느니라

891 잠언 15:32 ○○○○○

훈계 받기를 싫어하는 자는 자기의 영혼을 경히 여김이라 견책을 달게 받는 자는 지식을 얻느니라

레마의 말씀

892 잠언 15:33 ○○○○○

여호와를 경외하는 것은 지혜의 훈계라 겸손은 존귀의 길잡이니라

893 잠언 16:1 ○○○○○

마음의 경영은 사람에게 있어도 말의 응답은 여호와께로부터 나오느니라

894 잠언 16:2 ○○○○○

사람의 행위가 자기 보기에는 모두 깨끗하여도 여호와는 심령을 감찰하시느니라

레마의 말씀

DAY . .

암송 체크

895 잠언 16:3 ○○○○○

너의 행사를 여호와께 맡기라 그리하면 네가 경
영하는 것이 이루어지리라

896 잠언 16:4 ○○○○○

여호와께서 온갖 것을 그 쓰임에 적당하게 지으
셨나니 악인도 악한 날에 적당하게 하셨느니라

897 잠언 16:6 ○○○○○

인자와 진리로 인하여 죄악이 속하게 되고 여호
와를 경외함으로 말미암아 악에서 떠나게 되느
니라

레마의 말씀

DAY . .

암송 체크

898 잠언 16:7 ○○○○○

사람의 행위가 여호와를 기쁘시게 하면 그 사람의 원수라도 그와 더불어 화목하게 하시느니라

899 잠언 16:9 ○○○○○

사람이 마음으로 자기의 길을 계획할지라도 그의 걸음을 인도하시는 이는 여호와시니라

900 잠언 16:18 ○○○○○

교만은 패망의 선봉이요 거만한 마음은 넘어짐의 앞잡이니라

레마의 말씀

DAY . .

암송 체크

901 잠언 16:32 ○○○○○

노하기를 더디하는 자는 용사보다 낫고 자기의 마음을 다스리는 자는 성을 빼앗는 자보다 나으니라

902 잠언 16:33 ○○○○○

제비는 사람이 뽑으나 모든 일을 작정하기는 여호와께 있느니라

903 잠언 17:1 ○○○○○

마른 떡 한 조각만 있고도 화목하는 것이 제육이 집에 가득하고도 다투는 것보다 나으니라

레마의 말씀

DAY . .

암송 체크

904 잠언 17:2 ○○○○○

슬기로운 종은 부끄러운 짓을 하는 주인의 아들을 다스리겠고 또 형제들 중에서 유업을 나누어 얻으리라

905 잠언 17:3 ○○○○○

도가니는 은을, 풀무는 금을 연단하거니와 여호와는 마음을 연단하시느니라

906 잠언 17:5 ○○○○○

가난한 자를 조롱하는 자는 그를 지으신 주를 멸시하는 자요 사람의 재앙을 기뻐하는 자는 형벌을 면하지 못할 자니라

레마의 말씀

DAY . .

암송 체크

907 잠언 17:8 ○○○○○

뇌물은 그 임자가 보기에 보석 같은즉 그가 어디로 향하든지 형통하게 하느니라

908 잠언 17:9 ○○○○○

허물을 덮어 주는 자는 사랑을 구하는 자요 그것을 거듭 말하는 자는 친한 벗을 이간하는 자니라

909 잠언 17:12 ○○○○○

차라리 새끼 빼앗긴 암곰을 만날지언정 미련한 일을 행하는 미련한 자를 만나지 말 것이니라

레마의 말씀

DAY . .

암송 체크

910 잠언 17:13 ○○○○○

누구든지 악으로 선을 갚으면 악이 그 집을 떠나지 아니하리라

911 잠언 17:18 ○○○○○

지혜 없는 자는 남의 손을 잡고 그의 이웃 앞에서 보증이 되느니라

912 잠언 17:19 ○○○○○

다툼을 좋아하는 자는 죄과를 좋아하는 자요 자기 문을 높이는 자는 파괴를 구하는 자니라

레마의 말씀

DAY . . 암송 체크

913 잠언 17:22 ○○○○○

마음의 즐거움은 양약이라도 심령의 근심은 뼈를 마르게 하느니라

914 잠언 17:28 ○○○○○

미련한 자라도 잠잠하면 지혜로운 자로 여겨지고 그의 입술을 닫으면 슬기로운 자로 여겨지느니라

915 잠언 18:1 ○○○○○

무리에게서 스스로 갈라지는 자는 자기 소욕을 따르는 자라 온갖 참 지혜를 배척하느니라

레마의 말씀

916 잠언 18:2 ○○○○○

미련한 자는 명철을 기뻐하지 아니하고 자기의 의사를 드러내기만 기뻐하느니라

917 잠언 18:8(26:22) ○○○○○

남의 말 하기를 좋아하는 자의 말은 별식과 같아서 뱃속 깊은 데로 내려가느니라

918 잠언 18:9 ○○○○○

자기의 일을 게을리하는 자는 패가하는 자의 형제니라

레마의 말씀

919 잠언 18:14 ○○○○○

사람의 심령은 그의 병을 능히 이기려니와 심령이 상하면 그것을 누가 일으키겠느냐

920 잠언 18:17 ○○○○○

송사에서는 먼저 온 사람의 말이 바른 것 같으나 그의 상대자가 와서 밝히느니라

921 잠언 18:19 ○○○○○

노엽게 한 형제와 화목하기가 견고한 성을 취하기보다 어려운즉 이러한 다툼은 산성 문빗장 같으니라

레마의 말씀

DAY . .   암송 체크

922 잠언 18:21 ○○○○○

죽고 사는 것이 혀의 힘에 달렸나니 혀를 쓰기 좋아하는 자는 혀의 열매를 먹으리라

923 잠언 18:22 ○○○○○

아내를 얻는 자는 복을 얻고 여호와께 은총을 받는 자니라

924 잠언 19:2 ○○○○○

지식 없는 소원은 선하지 못하고 발이 급한 사람은 잘못 가느니라

레마의 말씀

DAY . .

암송 체크

925 잠언 19:3 ○○○○○

사람이 미련하므로 자기 길을 굽게 하고 마음으로 여호와를 원망하느니라

926 잠언 19:6 ○○○○○

너그러운 사람에게는 은혜를 구하는 자가 많고 선물 주기를 좋아하는 자에게는 사람마다 친구가 되느니라

927 잠언 19:11 ○○○○○

노하기를 더디 하는 것이 사람의 슬기요 허물을 용서하는 것이 자기의 영광이니라

레마의 말씀

DAY . . 암송 체크

928 잠언 19:14 ○○○○○

집과 재물은 조상에게서 상속하거니와 슬기로운 아내는 여호와께로서 말미암느니라

929 잠언 19:17 ○○○○○

가난한 자를 불쌍히 여기는 것은 여호와께 꾸어 드리는 것이니 그의 선행을 그에게 갚아 주시리라

930 잠언 19:18 ○○○○○

네가 네 아들에게 희망이 있은즉 그를 징계하되 죽일 마음은 두지 말지니라

레마의 말씀

DAY . .

암송 체크

931 잠언 19:21 ○○○○○

사람의 마음에는 많은 계획이 있어도 오직 여호와의 뜻만이 완전히 서리라

932 잠언 19:24 ○○○○○

게으른 자는 자기의 손을 그릇에 넣고서도 입으로 올리기를 괴로워하느니라

933 잠언 20:3 ○○○○○

다툼을 멀리 하는 것이 사람에게 영광이거늘 미련한 자마다 다툼을 일으키느니라

레마의 말씀

암송 체크

934 잠언 20:5 ○○○○○

사람의 마음에 있는 모략은 깊은 물 같으니라 그럴지라도 명철한 사람은 그것을 길어 내느니라

935 잠언 20:12 ○○○○○

듣는 귀와 보는 눈은 다 여호와께서 지으신 것이니라

936 잠언 20:17 ○○○○○

속이고 취한 음식물은 사람에게 맛이 좋은 듯하나 후에는 그의 입에 모래가 가득하게 되리라

레마의 말씀

DAY . .

암송 체크

937 잠언 20:20 ○○○○○

자기의 아비나 어미를 저주하는 자는 그의 등불이 흑암 중에 꺼짐을 당하리라

938 잠언 20:22 ○○○○○

너는 악을 갚겠다 말하지 말고 여호와를 기다리라 그가 너를 구원하시리라

939 잠언 20:30 ○○○○○

상하게 때리는 것이 악을 없이하나니 매는 사람 속에 깊이 들어가느니라

레마의 말씀

DAY . .

암송 체크

940 잠언 21:2 ○○○○○

사람의 행위가 자기 보기에는 모두 정직하여도 여호와는 마음을 감찰하시느니라

941 잠언 21:3 ○○○○○

공의와 정의를 행하는 것은 제사 드리는 것보다 여호와께서 기쁘게 여기시느니라

942 잠언 21:4 ○○○○○

눈이 높은 것과 마음이 교만한 것과 악인이 형통한 것은 다 죄니라

레마의 말씀

DAY . . 암송 체크

943 잠언 21:6 ○○○○○

속이는 말로 재물을 모으는 것은 죽음을 구하는 것이라 곧 불려다니는 안개니라

944 잠언 21:10 ○○○○○

악인의 마음은 남의 재앙을 원하나니 그 이웃도 그 앞에서 은혜를 입지 못하느니라

945 잠언 21:13 ○○○○○

귀를 막고 가난한 자가 부르짖는 소리를 듣지 아니하면 자기가 부르짖을 때에도 들을 자가 없으리라

레마의 말씀

DAY . . 암송 체크

946 잠언 21:17 ○○○○○

연락을 좋아하는 자는 가난하게 되고 술과 기름을 좋아하는 자는 부하게 되지 못하느니라

947 잠언 21:19 ○○○○○

다투며 성내는 여인과 함께 사는 것보다 광야에서 사는 것이 나으니라

948 잠언 21:25 ○○○○○

게으른 자의 욕망이 자기를 죽이나니 이는 자기의 손으로 일하기를 싫어함이니라

레마의 말씀

DAY . . 암송 체크

949 잠언 21:31 ○○○○○

싸울 날을 위하여 마병을 예비하거니와 이김은 여호와께 있느니라

950 잠언 22:1 ○○○○○

많은 재물보다 명예를 택할 것이요 은이나 금보다 은총을 더욱 택할 것이니라

951 잠언 22:2 ○○○○○

가난한 자와 부한 자가 함께 살거니와 그 모두를 지으신 이는 여호와시니라

레마의 말씀

DAY . . 암송 체크

952 잠언 22:4 ○○○○○

겸손과 여호와를 경외함의 보상은 재물과 영광과 생명이니라

953 잠언 22:6 ○○○○○

마땅히 행할 길을 아이에게 가르치라 그리하면 늙어도 그것을 떠나지 아니하리라

954 잠언 22:9 ○○○○○

선한 눈을 가진 자는 복을 받으리니 이는 양식을 가난한 자에게 줌이니라

레마의 말씀

955 잠언 22:29 ○○○○○

네가 자기의 일에 능숙한 사람을 보았느냐 이러한 사람은 왕 앞에 설 것이요 천한 자 앞에 서지 아니하리라

956 잠언 23:4 ○○○○○

부자 되기에 애쓰지 말고 네 사사로운 지혜를 버릴지어다

957 잠언 23:5 ○○○○○

네가 어찌 허무한 것에 주목하겠느냐 정녕히 재물은 스스로 날개를 내어 하늘을 나는 독수리처럼 날아가리라

레마의 말씀

DAY . .

암송 체크

958 잠언 23:13 ○○○○○

아이를 훈계하지 아니하려고 하지 말라 채찍으로 그를 때릴지라도 그가 죽지 아니하리라

959 잠언 23:17 ○○○○○

네 마음으로 죄인의 형통을 부러워하지 말고 항상 여호와를 경외하라

960 잠언 23:25 ○○○○○

네 부모를 즐겁게 하며 너를 낳은 어미를 기쁘게 하라

레마의 말씀

DAY . .

암송 체크

961 잠언 24:1 ○○○○○

너는 악인의 형통함을 부러워하지 말며 그와 함께 있으려고 하지도 말지어다

962 잠언 24:3 ○○○○○

집은 지혜로 말미암아 건축되고 명철로 말미암아 견고하게 되며

963 잠언 24:4 ○○○○○

또 방들은 지식으로 말미암아 각종 귀하고 아름다운 보배로 채우게 되느니라

레마의 말씀

DAY . .

암송 체크

964 잠언 24:5 ○○○○○

지혜 있는 자는 강하고 지식 있는 자는 힘을 더하나니

965 잠언 24:6 ○○○○○

너는 전략으로 싸우라 승리는 지략이 많음에 있느니라

966 잠언 24:17-18 ○○○○○

네 원수가 넘어질 때에 즐거워하지 말며 그가 엎드러질 때에 마음에 기뻐하지 말라
여호와께서 이것을 보시고 기뻐하지 아니하사 그의 진노를 그에게서 옮기실까 두려우니라

레마의 말씀

DAY . .

암송 체크

967 잠언 25:11 ○○○○○

경우에 합당한 말은 아로새긴 은쟁반에 금사과니라

968 잠언 25:13 ○○○○○

충성된 사자는 그를 보낸 이에게 마치 추수하는 날에 얼음냉수 같아서 능히 그 주인의 마음을 시원하게 하느니라

969 잠언 25:14 ○○○○○

선물한다고 거짓 자랑하는 자는 비 없는 구름과 바람 같으니라

레마의 말씀

DAY . .

암송 체크

970 잠언 25:28 ○○○○○

자기의 마음을 제어하지 아니하는 자는 성읍이 무너지고 성벽이 없는 것과 같으니라

971 잠언 26:2 ○○○○○

까닭 없는 저주는 참새가 떠도는 것과 제비가 날아가는 것같이 이루어지지 아니하느니라

972 잠언 26:7 ○○○○○

저는 자의 다리는 힘없이 달렸나니 미련한 자의 입의 잠언도 그러하니라

레마의 말씀

DAY . .

암송 체크

973 잠언 26:11 ○○○○○

개가 그 토한 것을 도로 먹는 것같이 미련한 자는 그 미련한 것을 거듭 행하느니라

974 잠언 26:12 ○○○○○

네가 스스로 지혜롭게 여기는 자를 보느냐 그보다 미련한 자에게 오히려 희망이 있느니라

975 잠언 26:13 ○○○○○

게으른 자는 길에 사자가 있다 거리에 사자가 있다 하느니라

레마의 말씀

DAY . . 암송 체크

976 잠언 26:14 ○○○○○

문짝이 돌쩌귀를 따라서 도는 것같이 게으른 자는 침상에서 도느니라

977 잠언 26:16 ○○○○○

게으른 자는 사리에 맞게 대답하는 사람 일곱보다 자기를 지혜롭게 여기느니라

978 잠언 27:1 ○○○○○

너는 내일 일을 자랑하지 말라 하루 동안에 무슨 일이 일어날는지 네가 알 수 없음이니라

레마의 말씀

979 잠언 27:2 ○○○○○

타인이 너를 칭찬하게 하고 네 입으로는 하지 말며 외인이 너를 칭찬하게 하고 네 입술로는 하지 말지니라

980 잠언 27:3 ○○○○○

돌은 무겁고 모래도 가볍지 아니하거니와 미련한 자의 분노는 이 둘보다 무거우니라

레마의 말씀

DAY . . 암송 체크

981 잠언 27:9 ○○○○○

기름과 향이 사람의 마음을 즐겁게 하나니 친구의 충성된 권고가 이와 같이 아름다우니라

982 잠언 27:12 ○○○○○

슬기로운 자는 재앙을 보면 숨어 피하여도 어리석은 자들은 나가다가 해를 받느니라

983 잠언 27:17 ○○○○○

철이 철을 날카롭게 하는 것같이 사람이 그의 친구의 얼굴을 빛나게 하느니라

레마의 말씀

984 잠언 27:18 ○○○○○

무화과나무를 지키는 자는 그 과실을 먹고 자기 주인에게 시중드는 자는 영화를 얻느니라

985 잠언 27:21 ○○○○○

도가니로 은을, 풀무로 금을, 칭찬으로 사람을 단련하느니라

986 잠언 27:22 ○○○○○

미련한 자를 곡물과 함께 절구에 넣고 공이로 찧을지라도 그의 미련은 벗겨지지 아니하느니라

레마의 말씀

DAY . .

암송 체크

987 잠언 28:1 ○○○○○

악인은 쫓아오는 자가 없어도 도망하나 의인은 사자같이 담대하니라

988 잠언 28:5 ○○○○○

악인은 정의를 깨닫지 못하나 여호와를 찾는 자는 모든 것을 깨닫느니라

989 잠언 28:8 ○○○○○

중한 변리로 자기 재산을 늘이는 것은 가난한 사람을 불쌍히 여기는 자를 위해 그 재산을 저축하는 것이니라

레마의 말씀

990 잠언 28:9 ○○○○○

사람이 귀를 돌려 율법을 듣지 아니하면 그의 기도도 가증하니라

991 잠언 28:13 ○○○○○

자기의 죄를 숨기는 자는 형통하지 못하나 죄를 자복하고 버리는 자는 불쌍히 여김을 받으리라

992 잠언 28:20 ○○○○○

충성된 자는 복이 많아도 속히 부하고자 하는 자는 형벌을 면하지 못하리라

레마의 말씀

DAY . . 암송 체크

993 잠언 28:22 ○○○○○

악한 눈이 있는 자는 재물을 얻기에만 급하고 빈궁이 자기에게로 임할 줄은 알지 못하느니라

994 잠언 28:24 ○○○○○

부모의 물건을 도둑질하고서도 죄가 아니라 하는 자는 멸망 받게 하는 자의 동류니라

995 잠언 29:1 ○○○○○

자주 책망을 받으면서도 목이 곧은 사람은 갑자기 패망을 당하고 피하지 못하리라

레마의 말씀

DAY . .

암송 체크

996 잠언 29:13 ○○○○○

가난한 자와 포학한 자가 섞여 살거니와 여호와께서는 그 모두의 눈에 빛을 주시느니라

997 잠언 29:18 ○○○○○

묵시가 없으면 백성이 방자히 행하거니와 율법을 지키는 자는 복이 있느니라

998 잠언 29:25 ○○○○○

사람을 두려워하면 올무에 걸리게 되거니와 여호와를 의지하는 자는 안전하리라

레마의 말씀

DAY . .

암송 체크

999 잠언 29:26 ○○○○○

주권자에게 은혜를 구하는 자가 많으나 사람의 일의 작정은 여호와께로 말미암느니라

1000 잠언 30:5 ○○○○○

하나님의 말씀은 다 순전하며 하나님은 그를 의지하는 자의 방패시니라

1001 잠언 30:10 ○○○○○

너는 종을 그의 상전에게 비방하지 말라 그가 너를 저주하겠고 너는 죄책을 당할까 두려우니라

레마의 말씀

DAY . .

암송 체크

1002 잠언 30:12 ○○○○○

스스로 깨끗한 자로 여기면서도 자기의 더러운 것을 씻지 아니하는 무리가 있느니라

1003 잠언 31:10 ○○○○○

누가 현숙한 여인을 찾아 얻겠느냐 그의 값은 진주보다 더 하니라

1004 잠언 31:30 ○○○○○

고운 것도 거짓되고 아름다운 것도 헛되나 오직 여호와를 경외하는 여자는 칭찬을 받을 것이라

레마의 말씀

전도서

1005 전도서 3:11 ○○○○○

하나님이 모든 것을 지으시되 때를 따라 아름답게 하셨고 또 사람들에게는 영원을 사모하는 마음을 주셨느니라 그러나 하나님이 하시는 일의 시종을 사람으로 측량할 수 없게 하셨도다

1006 전도서 4:9 ○○○○○

두 사람이 한 사람보다 나음은 그들이 수고함으로 좋은 상을 얻을 것임이라

레마의 말씀

DAY . .

암송 체크

1007 전도서 4:11 ○○○○○

또 두 사람이 함께 누우면 따뜻하거니와 한 사람
이면 어찌 따뜻하랴

1008 전도서 4:12 ○○○○○

한 사람이면 패하겠거니와 두 사람이면 맞설 수
있나니 세 겹 줄은 쉽게 끊어지지 아니하느니라

1009 전도서 5:1 ○○○○○

너는 하나님의 집에 들어갈 때에 네 발을 삼갈지
어다 가까이 하여 말씀을 듣는 것이 우매한 자들
이 제물 드리는 것보다 나으니 그들은 악을 행하
면서도 깨닫지 못함이니라

레마의 말씀

DAY . .

암송 체크

1010 전도서 5:4 ○○○○○

네가 하나님께 서원하였거든 갚기를 더디게 하지 말라 하나님은 우매한 자들을 기뻐하지 아니하시나니 서원한 것을 갚으라

1011 전도서 5:7 ○○○○○

꿈이 많으면 헛된 일들이 많아지고 말이 많아도 그러하니 오직 너는 하나님을 경외할지니라

1012 전도서 7:10 ○○○○○

옛날이 오늘보다 나은 것이 어찌됨이냐 하지 말라 이렇게 묻는 것은 지혜가 아니니라

레마의 말씀

DAY . .

암송 체크

1013 전도서 7:14 ○○○○○

형통한 날에는 기뻐하고 곤고한 날에는 되돌아보아라 이 두 가지를 하나님이 병행하게 하사 사람이 그의 장래 일을 능히 헤아려 알지 못하게 하셨느니라

1014 전도서 7:21-22 ○○○○○

또한 사람들이 하는 모든 말에 네 마음을 두지 말라 그리하면 네 종이 너를 저주하는 것을 듣지 아니하리라

너도 가끔 사람을 저주하였다는 것을 네 마음도 알고 있느니라

레마의 말씀

DAY . .

암송 체크

1015 전도서 10:4 ○○○○○

주권자가 네게 분을 일으키거든 너는 네 자리를 떠나지 말라 공손함이 큰 허물을 용서 받게 하느니라

1016 전도서 10:10 ○○○○○

철 연장이 무디어졌는데도 날을 갈지 아니하면 힘이 더 드느니라 오직 지혜는 성공하기에 유익하니라

1017 전도서 11:4 ○○○○○

풍세를 살펴보는 자는 파종하지 못할 것이요 구름만 바라보는 자는 거두지 못하리라

레마의 말씀

DAY . . 암송 체크

1018 전도서 11:5 ○○○○○

바람의 길이 어떠함과 아이 밴 자의 태에서 뼈가 어떻게 자라는지를 네가 알지 못함같이 만사를 성취하시는 하나님의 일을 네가 알지 못하느니라

1019 전도서 12:13 ○○○○○

일의 결국을 다 들었으니 하나님을 경외하고 그의 명령들을 지킬지어다 이것이 모든 사람의 본분이니라

레마의 말씀

아가

1020 아가 2:10

○○○○○

나의 사랑하는 자가 내게 말하여 이르기를 나의 사랑, 내 어여쁜 자야 일어나서 함께 가자

1021 아가 2:16a

○○○○○

내 사랑하는 자는 내게 속하였고 나는 그에게 속하였도다

레마의 말씀

이사야 — 말라기

DAY . .

암송 체크

이사야

1022 이사야 1:18

○○○○○

여호와께서 말씀하시되 오라 우리가 서로 변론하자 너희의 죄가 주홍 같을지라도 눈과 같이 희어질 것이요 진홍같이 붉을지라도 양털같이 희게 되리라

레마의 말씀

DAY . .

암송 체크

1023 이사야 2:3 ○○○○○

많은 백성이 가며 이르기를 오라 우리가 여호와의 산에 오르며 야곱의 하나님의 전에 이르자 그가 그의 길을 우리에게 가르치실 것이라 우리가 그 길로 행하리라 하리니 이는 율법이 시온에서부터 나올 것이요 여호와의 말씀이 예루살렘에서부터 나올 것임이니라

1024 이사야 2:22 ○○○○○

너희는 인생을 의지하지 말라 그의 호흡은 코에 있나니 셈할 가치가 어디 있느냐

레마의 말씀

1025 이사야 6:8b ○○○○○

주께서 이르시되 내가 누구를 보내며 누가 우리를 위하여 갈꼬 하시니 그때에 내가 이르되 내가 여기 있나이다 나를 보내소서 하였더니

1026 이사야 7:14b ○○○○○

보라 처녀가 잉태하여 아들을 낳을 것이요 그의 이름을 임마누엘이라 하리라

레마의 말씀

DAY . .

암송 체크

1027 이사야 9:6 ○○○○○

이는 한 아기가 우리에게 났고 한 아들을 우리에게 주신 바 되었는데 그의 어깨에는 정사를 메었고 그의 이름은 기묘자라, 모사라, 전능하신 하나님이라, 영존하시는 아버지라, 평강의 왕이라 할 것임이라

1028 이사야 9:7 ○○○○○

그 정사와 평강의 더함이 무궁하며 또 다윗의 왕좌와 그의 나라에 군림하여 그 나라를 굳게 세우고 지금 이후로 영원히 정의와 공의로 그것을 보존하실 것이라 만군의 여호와의 열심이 이를 이루시리라

레마의 말씀

DAY . .

암송 체크

1029 이사야 10:27 ○○○○○

그날에 그의 무거운 짐이 네 어깨에서 떠나고 그의 멍에가 네 목에서 벗어지되 기름진 까닭에 멍에가 부러지리라

1030 이사야 11:2 ○○○○○

그의 위에 여호와의 영 곧 지혜와 총명의 영이요 모략과 재능의 영이요 지식과 여호와를 경외하는 영이 강림하시리니

레마의 말씀

DAY . . 암송 체크

1031 이사야 11:9 ○○○○○

내 거룩한 산 모든 곳에서 해 됨도 없고 상함도 없을 것이니 이는 물이 바다를 덮음같이 여호와를 아는 지식이 세상에 충만할 것임이니라

1032 이사야 12:1 ○○○○○

그날에 네가 말하기를 여호와여 주께서 전에는 내게 노하셨사오나 이제는 주의 진노가 돌아섰고 또 주께서 나를 안위하시오니 내가 주께 감사하겠나이다 할 것이니라

레마의 말씀

DAY . .

암송 체크

1033 이사야 12:2 ○○○○○

보라 하나님은 나의 구원이시라 내가 신뢰하고 두려움이 없으리니 주 여호와는 나의 힘이시며 나의 노래시며 나의 구원이심이라

1034 이사야 12:3 ○○○○○

그러므로 너희가 기쁨으로 구원의 우물들에서 물을 길으리로다

1035 이사야 12:5 ○○○○○

여호와를 찬송할 것은 극히 아름다운 일을 하셨음이니 이를 온 땅에 알게 할지어다

레마의 말씀

암송 체크

1036 이사야 22:22 ○○○○○

내가 또 다윗의 집의 열쇠를 그의 어깨에 두리니 그가 열면 닫을 자가 없겠고 닫으면 열 자가 없으리라

1037 이사야 22:23 ○○○○○

못이 단단한 곳에 박힘같이 그를 견고하게 하리니 그가 그의 아버지 집에 영광의 보좌가 될 것이요

레마의 말씀

DAY . . 암송 체크

1038 이사야 25:4 ○○○○○

주는 포학자의 기세가 성벽을 치는 폭풍과 같을 때에 빈궁한 자의 요새이시며 환난 당한 가난한 자의 요새이시며 폭풍 중의 피난처시며 폭양을 피하는 그늘이 되셨사오니

1039 이사야 26:3 ○○○○○

주께서 심지가 견고한 자를 평강하고 평강하도록 지키시리니 이는 그가 주를 신뢰함이니이다

레마의 말씀

1040 이사야 28:11-12 ○○○○○

그러므로 더듬는 입술과 다른 방언으로 그가 이 백성에게 말씀하시리라
전에 그들에게 이르시기를 이것이 너희 안식이요 이것이 너희 상쾌함이니 너희는 곤비한 자에게 안식을 주라 하셨으나 그들이 듣지 아니하였으므로

1041 이사야 30:18 ○○○○○

그러나 여호와께서 기다리시나니 이는 너희에게 은혜를 베풀려 하심이요 일어나시리니 이는 너희를 긍휼히 여기려 하심이라 대저 여호와는 정의의 하나님이심이라 그를 기다리는 자마다 복이 있도다

레마의 말씀

DAY . .

암송 체크

1042 이사야 30:20 ○○○○○

주께서 너희에게 환난의 떡과 고생의 물을 주시나 네 스승은 다시 숨기지 아니하시리니 네 눈이 네 스승을 볼 것이며

1043 이사야 30:21 ○○○○○

너희가 오른쪽으로 치우치든지 왼쪽으로 치우치든지 네 뒤에서 말소리가 네 귀에 들려 이르기를 이것이 바른길이니 너희는 이리로 가라 할 것이며

레마의 말씀

DAY . .

암송 체크

1044 이사야 30:26 ○○○○○

여호와께서 자기 백성의 상처를 싸매시며 그들의 맞은 자리를 고치시는 날에는 달빛은 햇빛 같겠고 햇빛은 일곱 배가 되어 일곱 날의 빛과 같으리라

1045 이사야 33:2 ○○○○○

여호와여 우리에게 은혜를 베푸소서 우리가 주를 앙망하오니 주는 아침마다 우리의 팔이 되시며 환난 때에 우리의 구원이 되소서

레마의 말씀

1046 이사야 33:6 ○○○○○

네 시대에 평안함이 있으며 구원과 지혜와 지식이 풍성할 것이니 여호와를 경외함이 네 보배니라

1047 이사야 34:16 ○○○○○

너희는 여호와의 책에서 찾아 읽어 보라 이것들 가운데서 빠진 것이 하나도 없고 제 짝이 없는 것이 없으리니 이는 여호와의 입이 이를 명령하셨고 그의 영이 이것들을 모으셨음이라

1048 이사야 35:3 ○○○○○

너희는 약한 손을 강하게 하며 떨리는 무릎을 굳게 하며

레마의 말씀

DAY . . 암송 체크

1049 이사야 38:3p ○○○○○

여호와여 구하오니 내가 주 앞에서 진실과 전심으로 행하며 주의 목전에서 선하게 행한 것을 기억하옵소서

1050 이사야 40:8 ○○○○○

풀은 마르고 꽃은 시드나 우리 하나님의 말씀은 영원히 서리라 하라

1051 이사야 40:28 ○○○○○

너는 알지 못하였느냐 듣지 못하였느냐 영원하신 하나님 여호와, 땅끝까지 창조하신 이는 피곤하지 않으시며 곤비하지 않으시며 명철이 한이 없으시며

레마의 말씀

DAY . .

암송 체크

1052 이사야 40:29 ○○○○○

피곤한 자에게는 능력을 주시며 무능한 자에게는 힘을 더하시나니

1053 이사야 40:30-31 ○○○○○

소년이라도 피곤하며 곤비하며 장정이라도 넘어지며 쓰러지되

오직 여호와를 앙망하는 자는 새 힘을 얻으리니 독수리가 날개치며 올라감 같을 것이요 달음박질하여도 곤비하지 아니하겠고 걸어가도 피곤하지 아니하리로다

레마의 말씀

DAY . .

암송 체크

1054 이사야 41:8 ○○○○○

그러나 나의 종 너 이스라엘아 내가 택한 야곱아 나의 벗 아브라함의 자손아

1055 이사야 41:9 ○○○○○

내가 땅끝에서부터 너를 붙들며 땅 모퉁이에서부터 너를 부르고 네게 이르기를 너는 나의 종이라 내가 너를 택하고 싫어하여 버리지 아니하였다 하였노라

레마의 말씀

DAY . . 암송 체크

1056 이사야 41:10 ○○○○○

두려워하지 말라 내가 너와 함께함이라 놀라지 말라 나는 네 하나님이 됨이라 내가 너를 굳세게 하리라 참으로 너를 도와 주리라 참으로 나의 의로운 오른손으로 너를 붙들리라

1057 이사야 42:8 ○○○○○

나는 여호와이니 이는 내 이름이라 나는 내 영광을 다른 자에게, 내 찬송을 우상에게 주지 아니하리라

레마의 말씀

1058 이사야 43:1

○○○○○

야곱아 너를 창조하신 여호와께서 지금 말씀하시느니라 이스라엘아 너를 지으신 이가 말씀하시느니라 너는 두려워하지 말라 내가 너를 구속하였고 내가 너를 지명하여 불렀나니 너는 내 것이라

1059 이사야 43:2

○○○○○

네가 물 가운데로 지날 때에 내가 너와 함께할 것이라 강을 건널 때에 물이 너를 침몰하지 못할 것이며 네가 불 가운데로 지날 때에 타지도 아니할 것이요 불꽃이 너를 사르지도 못하리니

레마의 말씀

1060 이사야 43:15 ○○○○○

나는 여호와 너희의 거룩한 이요 이스라엘의 창조자요 너희의 왕이니라

1061 이사야 43:18 ○○○○○

너희는 이전 일을 기억하지 말며 옛날 일을 생각하지 말라

1062 이사야 43:19 ○○○○○

보라 내가 새 일을 행하리니 이제 나타낼 것이라 너희가 그것을 알지 못하겠느냐 반드시 내가 광야에 길을 사막에 강을 내리니

레마의 말씀

DAY . . 암송 체크

1063 이사야 43:21 ○○○○○

이 백성은 내가 나를 위하여 지었나니 나를 찬송하게 하려 함이니라

1064 이사야 43:25 ○○○○○

나 곧 나는 나를 위하여 네 허물을 도말하는 자니 네 죄를 기억하지 아니하리라

1065 이사야 44:1 ○○○○○

나의 종 야곱, 내가 택한 이스라엘아 이제 들으라

레마의 말씀

DAY . .

암송 체크

1066 이사야 44:2 ○○○○○

너를 만들고 너를 모태에서부터 지어 낸 너를 도와 줄 여호와가 이같이 말하노라 나의 종 야곱, 내가 택한 여수룬아 두려워하지 말라

1067 이사야 44:3 ○○○○○

나는 목마른 자에게 물을 주며 마른 땅에 시내가 흐르게 하며 나의 영을 네 자손에게, 나의 복을 네 후손에게 부어 주리니

1068 이사야 44:4 ○○○○○

그들이 풀 가운데에서 솟아나기를 시냇가의 버들 같이 할 것이라

레마의 말씀

DAY . .

암송 체크

1069 이사야 44:6 ○○○○○

이스라엘의 왕인 여호와, 이스라엘의 구원자인 만군의 여호와가 이같이 말하노라 나는 처음이요 나는 마지막이라 나 외에 다른 신이 없느니라

1070 이사야 44:21 ○○○○○

야곱아 이스라엘아 이 일을 기억하라 너는 내 종이니라 내가 너를 지었으니 너는 내 종이니라 이스라엘아 너는 나에게 잊혀지지 아니하리라

레마의 말씀

DAY . .

암송 체크

1071 이사야 44:22 ○○○○○

내가 네 허물을 빽빽한 구름같이, 네 죄를 안개같이 없이하였으니 너는 내게로 돌아오라 내가 너를 구속하였음이니라

1072 이사야 45:7 ○○○○○

나는 빛도 짓고 어둠도 창조하며 나는 평안도 짓고 환난도 창조하나니 나는 여호와라 이 모든 일들을 행하는 자니라 하였노라

레마의 말씀

1073 이사야 48:10-11 ○○○○○

보라 내가 너를 연단하였으나 은처럼 하지 아니하고 너를 고난의 풀무 불에서 택하였노라
나는 나를 위하며 나를 위하여 이를 이룰 것이라 어찌 내 이름을 욕되게 하리요 내 영광을 다른 자에게 주지 아니하리라

1074 이사야 48:17 ○○○○○

너희의 구속자시요 이스라엘의 거룩하신 이이신 여호와께서 이르시되 나는 네게 유익하도록 가르치고 너를 마땅히 행할 길로 인도하는 네 하나님 여호와라

레마의 말씀

DAY . .

암송 체크

1075 이사야 49:15 ○○○○○

여인이 어찌 그 젖 먹는 자식을 잊겠으며 자기 태에서 난 아들을 긍휼히 여기지 않겠느냐 그들은 혹시 잊을지라도 나는 너를 잊지 아니할 것이라

1076 이사야 49:16 ○○○○○

내가 너를 내 손바닥에 새겼고 너의 성벽이 항상 내 앞에 있나니

레마의 말씀

1077 이사야 50:4 ○○○○○

주 여호와께서 학자들의 혀를 내게 주사 나로 곤고한 자를 말로 어떻게 도와 줄 줄을 알게 하시고 아침마다 깨우치시되 나의 귀를 깨우치사 학자들같이 알아듣게 하시도다

1078 이사야 51:12 ○○○○○

이르시되 너희를 위로하는 자는 나 곧 나이니라 너는 어떠한 자이기에 죽을 사람을 두려워하며 풀같이 될 사람의 아들을 두려워하느냐

레마의 말씀

DAY . .

암송 체크

1079 이사야 51:13 ○○○○○

하늘을 펴고 땅의 기초를 정하고 너를 지은 자 여호와를 어찌하여 잊어버렸느냐 너를 멸하려고 준비하는 저 학대자의 분노를 어찌하여 항상 종일 두려워하느냐 학대자의 분노가 어디 있느냐

1080 이사야 52:3 ○○○○○

여호와께서 이와 같이 말씀하시되 너희가 값없이 팔렸으니 돈 없이 속량되리라

1081 이사야 53:1 ○○○○○

우리가 전한 것을 누가 믿었느냐 여호와의 팔이 누구에게 나타났느냐

레마의 말씀

1082 이사야 53:2 ○○○○○

그는 주 앞에서 자라나기를 연한 순 같고 마른 땅에서 나온 뿌리 같아서 고운 모양도 없고 풍채도 없은즉 우리가 보기에 흠모할 만한 아름다운 것이 없도다

1083 이사야 53:3 ○○○○○

그는 멸시를 받아 사람들에게 버림 받았으며 간고를 많이 겪었으며 질고를 아는 자라 마치 사람들이 그에게서 얼굴을 가리는 것같이 멸시를 당하였고 우리도 그를 귀히 여기지 아니하였도다

레마의 말씀

DAY . . 암송 체크

1084 이사야 53:4 ○○○○○

그는 실로 우리의 질고를 지고 우리의 슬픔을 당하였거늘 우리는 생각하기를 그는 징벌을 받아 하나님께 맞으며 고난을 당한다 하였노라

1085 이사야 53:5 ○○○○○

그가 찔림은 우리의 허물 때문이요 그가 상함은 우리의 죄악 때문이라 그가 징계를 받으므로 우리는 평화를 누리고 그가 채찍에 맞으므로 우리는 나음을 받았도다

레마의 말씀

DAY . .

암송 체크

1086 이사야 53:6 ○○○○○

우리는 다 양 같아서 그릇 행하여 각기 제 길로 갔거늘 여호와께서는 우리 모두의 죄악을 그에게 담당시키셨도다

1087 이사야 54:1 ○○○○○

잉태하지 못하며 출산하지 못한 너는 노래할지어다 산고를 겪지 못한 너는 외쳐 노래할지어다 이는 홀로 된 여인의 자식이 남편 있는 자의 자식보다 많음이라 여호와께서 말씀하셨느니라

레마의 말씀

DAY . .

암송 체크

1088 이사야 54:2

○○○○○

네 장막 터를 넓히며 네 처소의 휘장을 아끼지 말고 널리 펴되 너의 줄을 길게 하며 너의 말뚝을 견고히 할지어다

1089 이사야 54:10

○○○○○

산들이 떠나며 언덕들은 옮겨질지라도 나의 자비는 네게서 떠나지 아니하며 나의 화평의 언약은 흔들리지 아니하리라 너를 긍휼히 여기시는 여호와께서 말씀하셨느니라

레마의 말씀

DAY . .

암송 체크

1090 이사야 54:13

○○○○○

네 모든 자녀는 여호와의 교훈을 받을 것이니 네 자녀에게는 큰 평안이 있을 것이며

1091 이사야 54:17

○○○○○

너를 치려고 제조된 모든 연장이 쓸모가 없을 것이라 일어나 너를 대적하여 송사하는 모든 혀는 네게 정죄를 당하리니 이는 여호와의 종들의 기업이요 이는 그들이 내게서 얻은 공의니라 여호와의 말씀이니라

레마의 말씀

DAY . .

암송 체크

1092 이사야 55:1

○○○○○

오호라 너희 모든 목마른 자들아 물로 나아오라 돈 없는 자도 오라 너희는 와서 사 먹되 돈 없이, 값없이 와서 포도주와 젖을 사라

1093 이사야 55:2

○○○○○

너희가 어찌하여 양식이 아닌 것을 위하여 은을 달아 주며 배부르게 하지 못할 것을 위하여 수고하느냐 내게 듣고 들을지어다 그리하면 너희가 좋은 것을 먹을 것이며 너희 자신들이 기름진 것으로 즐거움을 얻으리라

레마의 말씀

DAY . .

암송 체크

1094 이사야 55:3 ○○○○○

너희는 귀를 기울이고 내게로 나아와 들으라 그리하면 너희의 영혼이 살리라 내가 너희를 위하여 영원한 언약을 맺으리니 곧 다윗에게 허락한 확실한 은혜이니라

1095 이사야 55:6 ○○○○○

너희는 여호와를 만날 만한 때에 찾으라 가까이 계실 때에 그를 부르라

레마의 말씀

DAY . .

암송 체크

1096 이사야 55:7 ○○○○○

악인은 그의 길을, 불의한 자는 그의 생각을 버리고 여호와께로 돌아오라 그리하면 그가 긍휼히 여기시리라 우리 하나님께로 돌아오라 그가 너그럽게 용서하시리라

1097 이사야 55:9 ○○○○○

이는 하늘이 땅보다 높음같이 내 길은 너희의 길보다 높으며 내 생각은 너희의 생각보다 높음이니라

레마의 말씀

암송 체크

1098 이사야 55:11 ○○○○○

내 입에서 나가는 말도 이와 같이 헛되이 내게로 되돌아오지 아니하고 나의 기뻐하는 뜻을 이루며 내가 보낸 일에 형통함이니라

1099 이사야 56:7 ○○○○○

내가 곧 그들을 나의 성산으로 인도하여 기도하는 내 집에서 그들을 기쁘게 할 것이며 그들의 번제와 희생을 나의 제단에서 기꺼이 받게 되리니 이는 내 집은 만민이 기도하는 집이라 일컬음이 될 것임이라

레마의 말씀

DAY . . 암송 체크

1100 이사야 57:19 ○○○○○

입술의 열매를 창조하는 자 여호와가 말하노라 먼 데 있는 자에게든지 가까운 데 있는 자에게든지 평강이 있을지어다 평강이 있을지어다 내가 그를 고치리라 하셨느니라

1101 이사야 57:21 ○○○○○

내 하나님의 말씀에 악인에게는 평강이 없다 하셨느니라

레마의 말씀

DAY . .

암송 체크

1102 이사야 58:6 ○○○○○

내가 기뻐하는 금식은 흉악의 결박을 풀어 주며 멍에의 줄을 끌러 주며 압제 당하는 자를 자유하게 하며 모든 멍에를 꺾는 것이 아니겠느냐

1103 이사야 58:11 ○○○○○

여호와가 너를 항상 인도하여 메마른 곳에서도 네 영혼을 만족하게 하며 네 뼈를 견고하게 하리니 너는 물 댄 동산 같겠고 물이 끊어지지 아니하는 샘 같을 것이라

레마의 말씀

1104 이사야 58:13-14 ○○○○○

만일 안식일에 네 발을 금하여 내 성일에 오락을 행하지 아니하고 안식일을 일컬어 즐거운 날이라, 여호와의 성일을 존귀한 날이라 하여 이를 존귀하게 여기고 네 길로 행하지 아니하며 네 오락을 구하지 아니하며 사사로운 말을 하지 아니하면
네가 여호와 안에서 즐거움을 얻을 것이라 내가 너를 땅의 높은 곳에 올리고 네 조상 야곱의 기업으로 기르리라 여호와의 입의 말씀이니라

1105 이사야 60:1 ○○○○○

일어나라 빛을 발하라 이는 네 빛이 이르렀고 여호와의 영광이 네 위에 임하였음이니라

레마의 말씀

DAY . .

암송 체크

1106 이사야 60:2 ○○○○○

보라 어둠이 땅을 덮을 것이며 캄캄함이 만민을 가리려니와 오직 여호와께서 네 위에 임하실 것이며 그의 영광이 네 위에 나타나리니

1107 이사야 60:3 ○○○○○

나라들은 네 빛으로, 왕들은 비치는 네 광명으로 나아오리라

1108 이사야 60:20 ○○○○○

다시는 네 해가 지지 아니하며 네 달이 물러가지 아니할 것은 여호와가 네 영원한 빛이 되고 네 슬픔의 날이 끝날 것임이라

레마의 말씀

DAY . .

암송 체크

1109 이사야 60:22 ○○○○○

그 작은 자가 천 명을 이루겠고 그 약한 자가 강국을 이룰 것이라 때가 되면 나 여호와가 속히 이루리라

1110 이사야 61:1 ○○○○○

주 여호와의 영이 내게 내리셨으니 이는 여호와께서 내게 기름을 부으사 가난한 자에게 아름다운 소식을 전하게 하려 하심이라 나를 보내사 마음이 상한 자를 고치며 포로된 자에게 자유를, 갇힌 자에게 놓임을 선포하며

레마의 말씀

1111 이사야 61:2 ○○○○○

여호와의 은혜의 해와 우리 하나님의 보복의 날
을 선포하여 모든 슬픈 자를 위로하되

1112 이사야 61:3 ○○○○○

무릇 시온에서 슬퍼하는 자에게 화관을 주어 그
재를 대신하며 기쁨의 기름으로 그 슬픔을 대신
하며 찬송의 옷으로 그 근심을 대신하시고 그들
이 의의 나무 곧 여호와께서 심으신 그 영광을 나
타낼 자라 일컬음을 받게 하려 하심이라

레마의 말씀

1113 이사야 62:4 ○○○○○

다시는 너를 버림받은 자라 부르지 아니하며 다시는 네 땅을 황무지라 부르지 아니하고 오직 너를 헵시바라 하며 네 땅을 쁄라라 하리니 이는 여호와께서 너를 기뻐하실 것이며 네 땅이 결혼한 것처럼 될 것임이라

1114 이사야 62:6 ○○○○○

예루살렘이여 내가 너의 성벽 위에 파수꾼을 세우고 그들로 하여금 주야로 계속 잠잠하지 않게 하였느니라 너희 여호와로 기억하시게 하는 자들아 너희는 쉬지 말며

레마의 말씀

DAY . .

암송 체크

1115 이사야 62:7 ○○○○○

또 여호와께서 예루살렘을 세워 세상에서 찬송을 받게 하시기까지 그로 쉬지 못하시게 하라

1116 이사야 64:6 ○○○○○

무릇 우리는 다 부정한 자 같아서 우리의 의는 다 더러운 옷 같으며 우리는 다 잎사귀같이 시들므로 우리의 죄악이 바람같이 우리를 몰아가나이다

1117 이사야 64:8 ○○○○○

그러나 여호와여, 이제 주는 우리 아버지시니이다 우리는 진흙이요 주는 토기장이시니 우리는 다 주의 손으로 지으신 것이니이다

레마의 말씀

DAY . . 암송 체크

1118 이사야 64:9 ○○○○○

여호와여, 너무 분노하지 마시오며 죄악을 영원히 기억하지 마시옵소서 구하오니 보시옵소서 보시옵소서 우리는 다 주의 백성이니이다

1119 이사야 65:17 ○○○○○

보라 내가 새 하늘과 새 땅을 창조하나니 이전 것은 기억되거나 마음에 생각나지 아니할 것이라

1120 이사야 66:2b ○○○○○

무릇 마음이 가난하고 심령에 통회하며 내 말을 듣고 떠는 자 그 사람은 내가 돌보려니와

레마의 말씀

DAY . . 암송 체크

예레미야

1121 예레미야 1:5 ○○○○○

내가 너를 모태에 짓기 전에 너를 알았고 네가 배에서 나오기 전에 너를 성별하였고 너를 여러 나라의 선지자로 세웠노라 하시기로

1122 예레미야 1:10 ○○○○○

보라 내가 오늘 너를 여러 나라와 여러 왕국 위에 세워 네가 그것들을 뽑고 파괴하며 파멸하고 넘어뜨리며 건설하고 심게 하였느니라 하시니라

레마의 말씀

DAY . .

암송 체크

1123 예레미야 2:13 ○○○○○

내 백성이 두 가지 악을 행하였나니 곧 그들이 생수의 근원되는 나를 버린 것과 스스로 웅덩이를 판 것인데 그것은 그 물을 가두지 못할 터진 웅덩이들이니라

1124 예레미야 10:24 ○○○○○

여호와여 나를 징계하옵시되 너그러이 하시고 진노로 하지 마옵소서 주께서 내가 없어지게 하실까 두려워하나이다

레마의 말씀

DAY . . 암송 체크

1125 예레미야 13:23 ○○○○○

구스인이 그의 피부를, 표범이 그의 반점을 변하게 할 수 있느냐 할 수 있을진대 악에 익숙한 너희도 선을 행할 수 있으리라

1126 예레미야 17:7 ○○○○○

그러나 무릇 여호와를 의지하며 여호와를 의뢰하는 그 사람은 복을 받을 것이라

레마의 말씀

DAY . .

암송 체크

1127 예레미야 17:8 ○○○○○

그는 물가에 심어진 나무가 그 뿌리를 강변에 뻗치고 더위가 올지라도 두려워하지 아니하며 그 잎이 청청하며 가무는 해에도 걱정이 없고 결실이 그치지 아니함 같으리라

1128 예레미야 17:9 ○○○○○

만물보다 거짓되고 심히 부패한 것은 마음이라 누가 능히 이를 알리요마는

1129 예레미야 17:10 ○○○○○

나 여호와는 심장을 살피며 폐부를 시험하고 각각 그의 행위와 그의 행실대로 보응하나니

레마의 말씀

1130 예레미야 17:11 ○○○○○

불의로 치부하는 자는 자고새가 낳지 아니한 알을 품음 같아서 그의 중년에 그것이 떠나겠고 마침내 어리석은 자가 되리라

1131 예레미야 17:12 ○○○○○

영화로우신 보좌여 시작부터 높이 계시며 우리의 성소이시며

레마의 말씀

암송 체크

1132 예레미야 17:13 ○○○○○

이스라엘의 소망이신 여호와여 무릇 주를 버리는 자는 다 수치를 당할 것이라 무릇 여호와를 떠나는 자는 흙에 기록이 되오리니 이는 생수의 근원이신 여호와를 버림이니이다

1133 예레미야 17:14 ○○○○○

여호와여 주는 나의 찬송이시오니 나를 고치소서 그리하시면 내가 낫겠나이다 나를 구원하소서 그리하시면 내가 구원을 얻으리이다

레마의 말씀

1134 예레미야 17:17 ○○○○○

주는 내게 두려움이 되지 마옵소서 재앙의 날에 주는 나의 피난처시니이다

1135 예레미야 32:41 ○○○○○

내가 기쁨으로 그들에게 복을 주되 분명히 나의 마음과 정성을 다하여 그들을 이 땅에 심으리라

1136 예레미야 33:2 ○○○○○

일을 행하시는 여호와, 그것을 만들며 성취하시는 여호와, 그의 이름을 여호와라 하는 이가 이와 같이 이르시도다

레마의 말씀

DAY . .

암송 체크

1137 예레미야 33:3 ○○○○○

너는 내게 부르짖으라 내가 네게 응답하겠고 네가 알지 못하는 크고 은밀한 일을 네게 보이리라

예레미야애가

1138 예레미야애가 3:19 ○○○○○

내 고초와 재난 곧 쑥과 담즙을 기억하소서

1139 예레미야애가 3:20-21 ○○○○○

내 마음이 그것을 기억하고 내가 낙심이 되오나 이것을 내가 내 마음에 담아 두었더니 그것이 오히려 나의 소망이 되었사옴은

레마의 말씀

1140 예레미야애가 3:22-23 ○○○○○

여호와의 인자와 긍휼이 무궁하시므로 우리가 진멸되지 아니함이니이다
이것들이 아침마다 새로우니 주의 성실하심이 크시도소이다

1141 예레미야애가 3:25 ○○○○○

기다리는 자들에게나 구하는 영혼들에게 여호와는 선하시도다

레마의 말씀

DAY . .

암송 체크

1142 예레미야애가 3:26-28 ○○○○○

사람이 여호와의 구원을 바라고 잠잠히 기다림이 좋도다

사람은 젊었을 때에 멍에를 메는 것이 좋으니

혼자 앉아서 잠잠할 것은 주께서 그것을 그에게 메우셨음이라

1143 예레미야애가 3:33 ○○○○○

주께서 인생으로 고생하게 하시며 근심하게 하심은 본심이 아니시로다

레마의 말씀

1144 예레미야애가 5:21 ○○○○○

여호와여 우리를 주께로 돌이키소서 그리하시면 우리가 주께로 돌아가겠사오니 우리의 날들을 다시 새롭게 하사 옛적 같게 하옵소서

에스겔

1145 에스겔 3:3 ○○○○○

내게 이르시되 인자야 내가 네게 주는 이 두루마리를 네 배에 넣으며 네 창자에 채우라 하시기에 내가 먹으니 그것이 내 입에서 달기가 꿀 같더라

레마의 말씀

DAY . .

암송 체크

1146 에스겔 36:26 ○○○○○

또 새 영을 너희 속에 두고 새 마음을 너희에게 주되 너희 육신에서 굳은 마음을 제거하고 부드러운 마음을 줄 것이며

1147 에스겔 36:27 ○○○○○

또 내 영을 너희 속에 두어 너희로 내 율례를 행하게 하리니 너희가 내 규례를 지켜 행할지라

1148 에스겔 37:4 ○○○○○

또 내게 이르시되 너는 이 모든 뼈에게 대언하여 이르기를 너희 마른 뼈들아 여호와의 말씀을 들을지어다

레마의 말씀

1149 에스겔 37:5 ○○○○○

주 여호와께서 이 뼈들에게 이같이 말씀하시기를 내가 생기를 너희에게 들어가게 하리니 너희가 살아나리라

1150 에스겔 47:12 ○○○○○

강 좌우 가에는 각종 먹을 과실나무가 자라서 그 잎이 시들지 아니하며 열매가 끊이지 아니하고 달마다 새 열매를 맺으리니 그 물이 성소를 통하여 나옴이라 그 열매는 먹을 만하고 그 잎사귀는 약재료가 되리라

레마의 말씀

DAY . . 암송 체크

다니엘

1151 다니엘 1:17 ○○○○○

하나님이 이 네 소년에게 학문을 주시고 모든 서적을 깨닫게 하시고 지혜를 주셨으니 다니엘은 또 모든 환상과 꿈을 깨달아 알더라

1152 다니엘 6:10 ○○○○○

다니엘이 이 조서에 왕의 도장이 찍힌 것을 알고도 자기 집에 돌아가서는 윗방에 올라가 예루살렘으로 향한 창문을 열고 전에 하던 대로 하루 세 번씩 무릎을 꿇고 기도하며 그의 하나님께 감사하였더라

레마의 말씀

DAY . . 암송 체크

1153 다니엘 12:3 ○○○○○

지혜 있는 자는 궁창의 빛과 같이 빛날 것이요 많은 사람을 옳은 데로 돌아오게 한 자는 별과 같이 영원토록 빛나리라

호세아

1154 호세아 4:6 ○○○○○

내 백성이 지식이 없으므로 망하는도다 네가 지식을 버렸으니 나도 너를 버려 내 제사장이 되지 못하게 할 것이요 네가 네 하나님의 율법을 잊었으니 나도 네 자녀들을 잊어버리리라

레마의 말씀

1155 호세아 6:1 ○○○○○

오라 우리가 여호와께로 돌아가자 여호와께서 우리를 찢으셨으나 도로 낫게 하실 것이요 우리를 치셨으나 싸매어 주실 것임이라

1156 호세아 6:2 ○○○○○

여호와께서 이틀 후에 우리를 살리시며 셋째 날에 우리를 일으키시리니 우리가 그의 앞에서 살리라

레마의 말씀

1157 호세아 6:3 ○○○○○

그러므로 우리가 여호와를 알자 힘써 여호와를 알자 그의 나타나심은 새벽빛같이 어김없나니 비와 같이, 땅을 적시는 늦은 비와 같이 우리에게 임하시리라 하니라

1158 호세아 6:6 ○○○○○

나는 인애를 원하고 제사를 원하지 아니하며 번제보다 하나님을 아는 것을 원하노라

레마의 말씀

1159 호세아 12:3-4 ○○○○○

야곱은 모태에서 그의 형의 발뒤꿈치를 잡았고
또 힘으로는 하나님과 겨루되
천사와 겨루어 이기고 울며 그에게 간구하였으며
하나님은 벧엘에서 그를 만나셨고 거기에서 우리
에게 말씀하셨나니

1160 호세아 12:5 ○○○○○

여호와는 만군의 하나님이시라 여호와는 그를 기
억하게 하는 이름이니라

레마의 말씀

1161 호세아 12:6 ○○○○○

그런즉 너의 하나님께로 돌아와서 인애와 정의를 지키며 항상 너의 하나님을 바랄지니라

1162 호세아 14:1 ○○○○○

이스라엘아 네 하나님 여호와께로 돌아오라 네가 불의함으로 말미암아 엎드러졌느니라

1163 호세아 14:2 ○○○○○

너는 말씀을 가지고 여호와께로 돌아와서 아뢰기를 모든 불의를 제거하시고 선한 바를 받으소서 우리가 수송아지를 대신하여 입술의 열매를 주께 드리리이다

레마의 말씀

DAY . .

암송 체크

1164 호세아 14:9 ○○○○○

누가 지혜가 있어 이런 일을 깨달으며 누가 총명이 있어 이런 일을 알겠느냐 여호와의 도는 정직하니 의인은 그 길로 다니거니와 그러나 죄인은 그 길에 걸려 넘어지리라

아모스

1165 아모스 5:24 ○○○○○

오직 정의를 물같이, 공의를 마르지 않는 강같이 흐르게 할지어다

레마의 말씀

1166 아모스 8:11 ○○○○○

주 여호와의 말씀이니라 보라 날이 이를지라 내가 기근을 땅에 보내리니 양식이 없어 주림이 아니며 물이 없어 갈함이 아니요 여호와의 말씀을 듣지 못한 기갈이라

하박국

1167 하박국 3:2 ○○○○○

여호와여 내가 주께 대한 소문을 듣고 놀랐나이다 여호와여 주는 주의 일을 이 수년 내에 부흥하게 하옵소서 이 수년 내에 나타내시옵소서 진노 중에라도 긍휼을 잊지 마옵소서

레마의 말씀

1168 하박국 3:17-18 ○○○○○

비록 무화과나무가 무성하지 못하며 포도나무에 열매가 없으며 감람나무에 소출이 없으며 밭에 먹을 것이 없으며 우리에 양이 없으며 외양간에 소가 없을지라도

나는 여호와로 말미암아 즐거워하며 나의 구원의 하나님으로 말미암아 기뻐하리로다

1169 하박국 3:19a ○○○○○

주 여호와는 나의 힘이시라 나의 발을 사슴과 같게 하사 나를 나의 높은 곳으로 다니게 하시리로다

레마의 말씀

스바냐

1170 스바냐 3:16 ○○○○○

그날에 사람이 예루살렘에 이르기를 두려워하지 말라 시온아 네 손을 늘어뜨리지 말라

1171 스바냐 3:17 ○○○○○

너의 하나님 여호와가 너의 가운데에 계시니 그는 구원을 베푸실 전능자이시라 그가 너로 말미암아 기쁨을 이기지 못하시며 너를 잠잠히 사랑하시며 너로 말미암아 즐거이 부르며 기뻐하시리라 하리라

레마의 말씀

DAY . .

암송 체크

말라기

1172 말라기 3:10 ○○○○○

만군의 여호와가 이르노라 너희의 온전한 십일조를 창고에 들여 나의 집에 양식이 있게 하고 그것으로 나를 시험하여 내가 하늘 문을 열고 너희에게 복을 쌓을 곳이 없도록 붓지 아니하나 보라

레마의 말씀